Piccola Biblioteca Oscar

MARGARET MAZZANTINI

ZORRO

Un eremita sul marciapiede

OSCAR MONDADORI

© 2004 Arnoldo Mondadori Editore S.p.A., Milano

I edizione Piccola Biblioteca Oscar giugno 2004

ISBN 88-04-53516-4

Questo volume è stato stampato
presso Mondadori Printing S.p.A.
Stabilimento NSM - Cles (TN)
Stampato in Italia. Printed in Italy

Ristampe:

3	4	5	6	7	8	9	10	11
2004		2005		2006		2007		2008

www.librimondadori.it

ZORRO

Un eremita sul marciapiede

A Sergio e al suo cane

Scrivere è un lavoro da sfaccendati, ogni motivo è buono per mollare, per uscire dalla clausura. Esci con la scusa di una cartuccia d'inchiostro per la stampante e ti perdi a zonzo. E questo bighellonare certe volte ti premia, fai l'incontro giusto, qualcuno o qualcosa che ti porterai dietro. E così è stato anche stavolta. Sono uscita e ho incontrato un tipo che incontro spesso nel mio quartiere, un barbone con cui ho una certa confidenza, uno che viaggia a vino e cipolle accanto a un canetto sfibrato tenuto da uno spago. Ci vuole cautela, ce l'ha con le donne. Certi giorni è uno zucchero, certi altri esci dal supermercato con un po' di spesa anche per lui e ti ringrazia con un insulto sessuale che ci resti di sale.

Cercavo una buona idea per Sergio Castellitto, per il suo talento d'attore ma non solo, qualcosa che desse voce alla sua parte muta. Dopo tanti film gli era venuta nostalgia del teatro, della vecchia placenta dove era nato come attore, di quel corpo a corpo con se stesso in quella bolla di polvere e luce. Pensavo a un monologo intimo eppure circense che gli desse la possibilità di sgangherarsi. Perché ogni tanto viene voglia di stendersi sul guanciale dell'abbandono, di dire: ma sì, voglio essere molle e cagionevole, stupido e disdicevole. Voglio sputtanarmi, non ce la faccio più a tenere il punto fermo, la bussola orientata sulla rotta della decenza. Gli attori hanno questa possibilità di sbracare, di prendersi una vacanza dalla normalità. E di essere ben pagati e applauditi per questo. Hai la possibilità di vergognarti senza che nessuno se ne accorga. Di piangerti qualcosa di solo tuo in mezzo a un cumulo di bugie.

Così ho pensato: scrivo di uno che sta in strada, senza sociologia, solo un'anima che vaga, che strepita. Uno di quei sbrancati attraversatori di città. Uno buffo, con le sue miserie, le sue lacrime ma anche una sua strafottenza, un suo umorismo. Uno che non si scansa, che ha accettato il suo destino come la cacata di un uccello sulla testa, imprecando e ringraziando insieme.

Scrivere di un senzatetto è affidarsi alla scabrosità di una possibilità che ti appartiene. Perché gli artisti, spesso e volentieri, sono barboni fortunati. Ce l'hanno fatta a non finire all'addiaccio, ma conservano i tratti disturbati e l'inquietudine dell'erranza, vagano con gli occhi, sentenziano sul mondo, hanno ossessioni, riti. Ogni giorno corrono il rischio di perdersi, di non trovare più la strada del ritorno.

Non ho scelto uno che guarda in terra. Ho scelto uno che avesse ancora voglia di guardare in faccia la gente. Un anatraccio curioso che risale il fiume e scruta i regolari, i "Cormorani", quelli che stanno nel recinto della società organizzata. Straparla, dice la sua, buon senso e bestialità, ride di gusto e poi s'accascia. Ha un vecchio trauma stretto nel cuore come un trofeo, e un guinzaglio al posto della cravatta: è roba del suo cane, del suo lutto. È il cazzotto, la sciancata. È il piano della vita che s'inclina, si mette di traverso. Una notte è uscito, s'è messo a quattro zampe, è andato. È lurido, come tutti i barboni. Indossa un vestito color birra d'un tessuto che luccica, preso a un centro di raccolta e che magari

11

è il vestito di un morto. Due mollette da panni stringono i pantaloni al polpaccio. Scarpe con le suole lisce come dorsi di canoa, scarpe che scivolano sui marciapiedi, sulla melma del lungofiume, sulle verdure rimaste in terra dei mercati che smontano. La maglietta produce fiammelle, è acrilica, azzurra nazionale, con un bello scudetto dell'Italia. È l'allegria che copre il petto, il ghigno che lo gonfia, che sfotte il cielo. Si chiama Zorro questo ragazzo di mezza età. Zorro come lo spadaccino nero, Zorro come un cane color piscio. È incazzato, naturalmente è molto incazzato, oppure ci fa. Non ha più le tessere di accesso, è come quei guidatori spericolati a cui hanno ritirato la patente. Beve, chi sta in strada beve. Dorme in stazione, accanto allo sfiato caldo della metropolitana, sniffa gli odori, guarda le scarpe che passano, guarda le donne. Gliene piace una alla portata, una con il culo basso come il marciapiede.

Mi sono divertita a farlo parlare, perché scrivere per il teatro è una vacanza, e mi sono commossa perché scrivere di quest'uomo sfortunato mi ha commosso. Ho sempre pensato che la marginalità, nella sua terribile durezza, sia un osservatorio privilegiato. Così queste persone che se ne vanno per i fatti propri borbottando, imprecando, con un vespaio di strani pensieri in testa, mi sembrano il sale della terra, un buon motivo per restare, per festeggiare la vita. Ti guardano da una lontananza mai troppo benigna, minacciosi a volte, esigono il rispetto di chi si è appartato. Stanno sul margine del grande fiume, intenti come pescatori in attesa. Pescano nel nostro vortice quello che rimane, quello che schizza via, che gli appartiene per diritto. Hanno quegli odori concentrati, essenza d'uomo, come mosto, come seccume marino, roba sfinita dal sole o macerata dall'umido, roba che fa il suo corso.

Zorro mi ha aiutato a stanare un timore che da qualche parte appartiene a tutti. Perché dentro ognuno di noi, inconfessata, incappucciata, c'è questa estrema possibilità: perdere improvvisamente i fili, le zavorre che ci tengono ancorati al mondo regolare.

Chi di noi in una notte di strozzatura d'anima, bavero alzato sotto un portico, non ha sentito verso quel corpo, quel sacco di fagotti con un uomo dentro, una possibilità di se stesso? I barboni sono randagi scappati dalle nostre case, odorano dei nostri armadi, puzzano di ciò che non hanno, ma anche di tutto ciò che ci manca. Perché forse ci manca quell'andare silenzioso totalmente libero, quel deambulare perplesso, magari losco, eppure così naturale, così necessario, quel fottersene del tempo meteorologico e di quello irreversibile dell'orologio. Chi di noi non ha sentito il desiderio di accasciarsi per strada, come marionetta, gambe larghe sull'asfalto, testa reclinata sul guanciale di un muro? E lasciare al fiume il suo grande, impegnativo corso. Venirne fuori, venirne in pace. Tacito brandello di carne umana sul selciato dell'umanità.

Perché i barboni sono come certi cani, ti guardano e vedi la tua faccia che ti sta guardando, non quella che hai addosso, magari quella che avevi da bambino, quella che hai certe volte che sei scemo e triste. Quella faccia affamata e sparuta che avresti potuto avere se il tuo spicchio di mondo non ti avesse accolto. Perché in ogni vita ce n'è almeno un'altra.

Molpont

Un uomo disteso in terra. Ha gli occhi chiusi, un guinzaglio intorno al collo.

Le ossa, quelle mi fanno male, sembra che il diavolo ci balla dentro, per fortuna mi sono trovato quest'angolo buono, senza nessuno che mi piscia in testa per sbaglio o per farmi lo scherzetto. Mi piace dormire nel tunnel di vetro della metropolitana, c'è sempre luce, c'è sempre tiepido. Mi sento un pulcino in batteria. Che ore sono? Vediamo, mi sono già passati undici trenini sotto il culo *(oscilla il corpo)*. Ecco che arriva il dodicesimo. Sono le sette e trenta, circa. Buongiorno Zorro. Mi piace vibrare con la metropolitana, ogni volta che passa ci godo. Cosa vorresti per tirarti su? Una carezza? Un bacino? Dove dico io, però... *(Ride di colpo, poi di colpo smette. Scatta a sedere, spalanca gli occhi.)* Toletta. (*Cava fuori dalla tasca un piccolo nebulizzatore da giardinaggio e si spruzza un po' d'acqua sul viso.*) Con l'igiene non bisogna troppo strafare. Se hai paura del tuo sapore, c'è qualcosa che ti va storto dentro. Io c'ho esperienza e ti dico che più ti lavi e più puzzi. Quando sento che s'affaccia l'odoraccio, il selvatico, me ne vado al diurno, qua sotto al metrò, e mi prendo una doccia. Il diurno è un gran posto, c'è un odore commovente: di topicida. Ti danno l'asciugamano pulito: è come stare alle terme. Io poi c'ho familiarità con le ragazze che ci lavorano. Quella del primo turno è fatta benissimo, non le manca nulla, alta, parecchio. A me però soddisfa più la serale, Simonetta. Davanti è sgombra, due bottoncini da giacca, scontrosa, il culo bello giù, che sulle scale mobili deve starci attenta che ci pulisce tutti i gradini. Mi fa le premure, Simonetta, mi regala sempre qualche bustina di schiuma in più, mi dà l'asciugamano meno duro. Non lo sa che sto in strada, non credo. Io posso sempre sembrare uno che viaggia, che si ferma al diurno perché ha sudato in treno. Io non ci vado dalle ragazze del diurno messo male, mi stanno sui coglioni quelli che arrivano sporchi, con la sbornia cattiva addosso. Anch'io bevo, regolare, faccio il pieno. Il troppo pieno mai. Io sono ancora un bell'uomo, ho ancora i denti, ho ancora lo sguardo. Simonetta mi sorride, le vanno via gli occhi come una cinese quando mi sorride. Le do indietro l'asciugamano bagnato e lei mica lo butta subito nel secchio, se lo tiene un po' vicino sul bancone, non le dà fastidio, anzi ci mette pure il gomito sopra. Io me lo ricordo come si fa a tirar su una donna... me lo ricordo. Ma lascio stare. Se stai dalla tua parte non ci soffri, ma se t'affacci dove non dovresti, allora... Mi piace uscire dal diurno profumato e pulito, mi sembra come quando uscivo da casa, uscivo e sapevo che ci sarei tornato. Peccato che ci vuole poco per tornare a puzzare. Però quando puzzi è più facile.

Non m'annoio, cammino. A Zorro gli piace camminare. Dove vai Zorro? Vado dove vado. Guardo la gente in faccia, ho tempo e posso permettermelo. È un lusso. Certi li lascio filar via come scoregge, certi che m'interessano invece li seguo, mi metto sulla rotta e vado. Te, con il mocassino aerodinamico, con il pile idrorepellente, con l'occhiale di tendenza. Te, lì... te, con quella testa da cormorano (*punta gli occhi su un immaginario passante*), te, mi faccio un pezzo della tua vita, tu non lo sai ma io me la faccio. Naturale, lascio quel tot di metri di agio che ci vogliono, non ti do noia. Zorro non è il tipo da dare noia. Ti fermi, ti compri il giornale. Ce l'ho anch'io il giornale. *(Estrae dalla tasca interna del cappotto un vecchio giornale, lo apre e cammina.)* Sempre lo stesso, io m'affeziono alle cose. Identici, Cormorano, il mio e il tuo, sono due giornali identici. Tu hai dei ladri? Ce li ho anch'io. Hai delle guerre? Quelle non mancano mai. Hai delle troie? Beato te. Guardi l'orologio? Quello non ce l'ho, è solo peso. L'ora io ce l'ho in cielo. Per me, Cormorano, la vita è un giorno, uno solo, dall'alba al tramonto, e amen. Che fai, ti prendi il caffè? Guarda, due monetine le ha trovate anche Zorro. Mi passi lo zucchero, Cormorano? Otto, grazie. No, è che prendo un caffè ogni tre giorni, allora lo zucchero me lo recupero tutto in una botta, logico no? Fatti guardare un po' bene: moglie nevrotica, figlio tiranno, brutte notizie dal mutuo. Paghi? Pago anch'io. No, non il mutuo, quello te lo lascio. Cassiera, scontrino fiscale! Perché mi guardi male, cassiera? T'ho chiesto lo scontrino fiscale, mica un pompino! Lo so cosa pensi: cazzo, sei un barbone e vuoi lo scontrino fiscale?! E a cosa ti serve? A niente, mi va di farti incazzare, cassiera. Ho ragione, Cormorano? Cormorano, dove sei? Ti sei squagliato? Pazienza, tanto ti riacchiappo, ti riacchiappo sempre a te, Cormorano.

Oggi mi prendo la libera, la mia giornata da uccello. Guardo solo il cielo. Certo, capace ci capita pure qualche antenna, satellitari, parabole, telefonia, pazienza. Il cielo di città mi piace perché puzza di basso, di uomini. Il cielo di campagna invece mi fa paura. C'è solo roba del Signore, lassù: stelle, stelloni, nuvole al galoppo. E poi che mi mettevo a fare in campagna? A litigare con gli alberi? Quelli sono tranquilli, beati, ti fanno sentire uno sputo. La natura è tutta arrogante, è roba diretta del Signore, e giustamente un po' di strafottenza ce l'ha. Oh, intendiamoci, se fossi un olmo sarei un po' stronzo anch'io. Ma siccome sono un uomo, di starci sotto, all'olmo, non mi va. Mi va di star sotto i palazzi, a buttare un occhio nei bidoni e uno verso 'sto cielo mezzo e mezzo, dove il Signore ci guarda con gli occhi che gli bruciano di benzene pure a lui, incazzato perché facciamo troppo di testa nostra, troppa festa facciamo. Eh, non se l'aspettava tutta 'sta fantasia, tutto 'sto fricandò, si credeva che eravamo più facili, buoni e cattivi, peccato e redenzione e amen. Invece l'animo umano è un purgatorio perenne. Io rido, guardo in alto nelle finestre, i salotti, le cucine, gli stanzini e rido. Ogni tanto vado a sbattere contro qualcuno: oh, dove ce l'hai la testa, barbone?! Calma, Cormorano, abbassa le penne! Magari sto lì che galleggio in un cielo di quarant'anni fa... quel giorno che mamma mi andò a partorire a piedi con le acque già rotte. Chissà com'era quel cielo lì? E chissà lei che s'aspettava da me? Non mi voleva. Aveva trentasette anni, si sentiva già vecchia. Dopo mi ha voluto più di mia sorella Nanda, non perché fossi un granché, ma perché non mi aveva voluto, e la tirava sempre fuori 'sta storia:

«Pensa, proprio a te, Pizzangrillo, non ti volevo. Te che non dai mai fastidio, te che ti metto sulla seggiola con la pesca in mano e ci metti una mattinata intera a mangiarla e mi fai fare tutte le faccende senza muoverti, te che non lasci le impronte sul pavimento bagnato, proprio te m'ero messa in testa di buttarti. Quanto sono stupide le donne, Pizzangrillo! Non ti fidare mai di una donna, che se ti fidi sei fregato!»

«E di te, mamma, mi devo fidare? E di Nanda?»

«Ma che c'entra?! Noi siamo la famiglia. Poi l'hai visto tua sorella come ti porta? Come un bottone di madreperla, ti porta! Ti compra il maritozzo con la panna. E che vuoi di più? E scendi da quella seggiola, butta quel nocciolo, che mi sembri un cane bastonato!»

«Ma il pavimento è bagnato, mamma...»

La mia è stata una famiglia come si deve. Papà la sera tornava alle diciannove e trenta, regolare. Mamma ogni domenica faceva la lasagna. Nanda ogni mattina mi accompagnava a scuola, e ogni mattina puntuale io mi fermavo in mezzo alla strada con lei che mi tirava: «A che pensi, Pizzan-grillo, si può sapere a che pensi?». A Natale il pan-pepato, a Pasqua il pangiallo. L'incerata sul tavolo aveva tre bruciature, l'essenziale. Niente cazzate, a casa mia.

Mamma la sera mi faceva posare la testa sulla tetta, m'addormentavo appeso a quel mosto. C'a-veva un odore mia madre... di miele e strofinaccio, un odore che se ci penso mi scavo una buca e mi ci chiudo dentro. Era la persona più coraggiosa che ho conosciuto. Quel tipo di coraggio che è solo delle donne, gli uomini non ce lo possono avere un coraggio così... così zitto. C'aveva sempre il ra-schio in gola, per tutti i rospi che s'era tirata giù senza fare una piega. Davanti a noi maschi di casa sembrava che c'avesse paura, ma non era vero, lo faceva per farci sentire forti. Mi ha fregato. Sono uscito di casa che mi sentivo un leone, dopo ho faticato a capire che ero un coglione.

Ci sono tornato una sola volta a casa, quando mamma se n'è andata, la terza domenica di dicembre. L'albero di Natale non era ancora fatto. L'olio invece l'aveva preso. Era andata al paese a prenderlo, e ora nell'ingresso ci stavano due fustini di metallo che mandavano un odore di unto profondo.

Quando era morto papà, qualche anno prima, gli avevamo fatto la veglia, l'avevamo ricordato in lungo e in largo, avevamo scherzato, mangiato, ed era saltata fuori una nottata bellissima, meglio di certi anniversari venuti bene. Meglio delle nozze d'argento.

Per mamma invece è stata un'altra cosa. C'era quell'olio fermo all'ingresso. Pareva che fosse morto tutto. I piatti in cucina, morti. I vasi sul terrazzino, morti. I letti, morti. La casa, era morta la nostra casa. Io mi sentivo nudo, sembrava che mi avessero tolto i calzini, le mutande... Stavo lì come un idiota, ad aspettare che lei s'alzasse, che si mettesse a cucinare: oh, ma'! Ci fai due spaghetti? Avevo paura, perché adesso tra me e la morte non c'era più lei, il suo corpo grosso.

No, ma', non sono un leone...

Poi vedo l'albero di Natale nella scatola di cartone, comincio a sistemare la fronda rattrappita, Nanda piange e intanto si strofina le palline sul vestito per togliere la polvere. Le luci non funzionano, smontiamo e rimontiamo la spina e alla fine si accendono. L'albero lo mettiamo in camera di mamma. Lei ha i piedi nudi, e la luce fa avanti e indietro sui suoi piedi nudi che diventano mezzi celesti e mezzi rossi. Mezzi celesti e mezzi rossi. Nessuno parla: sembra un circo con l'elefante morto.

Il problema certe volte è la parola. Arrivo a sera che capace non ho aperto bocca, ho parlato tutto il giorno con me stesso ma non ho aperto bocca. Allora mi sono inventato 'sto modo, mi racconto le cose, mi dico quello che faccio, mi do i consigli, le sgridate. E ho visto che è meglio, il suono è meglio. Perché la voce interna è pericolosa, non te ne accorgi e cali, cali, vai sempre più giù, in grotta, rimescoli il passato, e ti dai ragione, troppa, e troppi torti agli altri. E la voce, dentro, comincia a farsi grossa, la testa comincia a rimbombarti come un locomotore, senti l'eco delle tue parole, un fischio lungo che rimane. Ma siccome non sei muto, la voce piglia e una mattina esce, si fa un giro. Esce! *(Urla, ulula come un cane notturno.)* Ed è una voce brutta, che sputa contro tutti. E più gridi e più non ci capisci un cazzo, sei come un alveare senza la regina. La gente si spaventa, le piccolette di tredici anni che vanno a scuola, le vecchie con la tortina di riso in mano, e tu lì, eremita sul marciapiede, sempre più incazzato, che vuoi spiegare a chi passa: la ragion di stato! La ragion di stato! Io sono un profeta! Io sono un principe! No, ci vuole ordine. Zorro lo sa, si tiene sotto controllo, si fa le sue chiacchierate, sente il suono, controlla se tutto è regolare. Perché la tentazione di andarsene fuori come un missile, quella c'è sempre. Certo, per voi Cormorani è più facile. C'avete il sistemino, uno solo per tutti, che non va bene quasi a nessuno ma si fa finta di sì, ci andate appresso come sul tapis roulant. Vi viene comodo, sennò non ci stareste in così tanti, anche se dentro non vi reggete in piedi, zuppi come pan di spagna nel liquore, eppure andate, fate, regolari voi, regolari. Camminate sul tapis roulant, regolari, con la moglie, i figli, la sciarpa, l'occhiale bruno. Ma a me non mi fregate. Zorro vi guarda. Siete tutti scoppiati, eh Cormorani? Basta farvi così *(schiocca le dita)* e venite giù come shangai. Intendiamoci, se tutti smetteste di fare il vostro bel dovere e veniste a deambulare qui con me sull'asfalto, sarebbe un bel guaio, non avrei più la mia pace, la mia sacrestia, i vostri bidoni di immondizia. Voi non ci crederete, ma io qui, non sempre ma certe volte, dal nero, mi son visto davanti la gioia. Allora mi dico: vedi, Zorro, ognuno ha la sua favola, e questa è la tua, solo tua. Loro non lo sanno, non lo immaginano a vederti ridotto così, e questo è il bello. Perché il sogno è bello in solitudine, stretto nelle mani nude, magari sporche, magari dure, che quando le strofino fanno un rumore di cartone. Restate lì dove siete, Cormorani, nelle vostre ludoteche, paninoteche, enoteche, emeroteche... Nelle vostre teche.

Zorro non chiede. Prima, quand'ero regolare, ho chiesto, e ho sempre detto grazie, e permesso, e scusi tanto. Adesso mi sono preso i miei privilegi.

La mano la tiro fuori solo in casi estremi. Cormorano, hai ragione, non ne puoi più di tutti 'sti pezzenti ai semafori che ti smerdano il vetro del tuo monovolume invece di pulirtelo, perché di far due passi fino alla fontana per cambiare l'acqua nel secchio non gli va, vogliono la monetina per smerdarti il vetro, Cormorano. In quel secchio nero c'è tanta arroganza, dico bene Cormorano? Pretendono! Pretendono! Ma cosa pretendono?! Col cartello di cartone: SONO POVVERO! O FAMME! Ma quale povero, ma quale fame!

No, Zorro non pretende. Zorro non tende la mano, Zorro ha i pugni chiusi. Zorro ha fatto una scelta. Certo, il destino gli ha dato una mano, il calcione gli ha dato, il destino.

L'altro giorno me ne sto lì, tranquillo, in panchina, che metto in ordine il cassetto qui in alto *(si tocca la testa)*, e mi viene vicino un bambino: «Signore... Signore...», bel bambino, bel cappottino...

«Che vuoi?»

Tende la manina con la moneta e aspetta. La madre sta a qualche passo, freme. Cos'hai, bella signora? Hai paura che t'inghiotto il figliolo? La miseria ti fa paura, quel colpo malvagio del destino che a te per fortuna non è toccato?... Perché a me, signora, quelle brutte monetine? Metallo che offende, signora. Zorro non ha chiesto, Zorro non necessita. Hai tante bustine rigide di boutique che ti pendono dal braccio, devi aver sciupato un bel po' di grano stamattina. Ma ora, cos'è, bella Cormorana, passeggiando c'hai pensato, che è freddo, che è quasi la Befana, c'hai pensato, passeggiando, a tutta quella povera gente che muore di fame, e tu, buttare tutto 'sto grano per niente... Cos'è, sei nervosa perché non ritiro la moneta? Vuoi darmi l'obolo per metterti un po' in pace dentro? Per goderti meglio il cachemirino di boutique? Però non ti vuoi avvicinare troppo. Capisco. Mandi avanti il bambino. Capisco. Ah, certo, pedagogico, insegniamo alle piccole generazioni la ginnastica della solidarietà. A che scuola vai, bel bambino? College inglese. Bravo: English is very important, indeed! Vai anche a pianoforte il martedì? Bravo. Che belle manine, da ginecologo. Cormorana, è fortunata, il suo piccino parlerà l'inglese e suonerà il pianoforte. Sulla figa delle sue pazienti. Dammi la moneta, moccioso.

«Allora sei proprio un povero?»

«Sì, sono un povero.»

«Mamma è un povero! Un povero! Che bello! Avevi ragione tu.»

Smammate. Smammate felici di avermi stanato.

E anche oggi Zorro è stato utile a qualcuno. Bravo, Zorro, anche se hai preso un cazzotto. *(Si dà un pugno nella pancia.)* Qui dentro, nel cassetto più basso.

L'ho sempre saputo che se un giorno avessi cominciato a camminare non avrei smesso più. Il destino! Forse lo sapevo già il mio destino, per quello me ne stavo fermo sulla seggiola con la pesca in mano, per paura di andargli incontro. Poi m'è saltato addosso, il destino: con un cane.

Ho dodici anni. Lo trovo cucciolo, mezzo morto di paura ma scodinzola, il muso secco. Sotto il cappotto me lo metto, accanto al cuore. E con quel cuore nuovo m'infilo in casa.

«E che sei pazzo?! E questo caca, raspa, c'ha le malattie!»

«E dai ma', e dai ma'...» dice Nanda. «Lasciaglielo tenere, gli fa compagnia, lo porta lui a pisciare.»

«Sì, ce lo porto io! E dai ma', e dai ma'!»

Mamma è incazzata, ma intanto il cane rimane a casa. Non faccio in tempo a tornare da scuola che già sto sotto con lui a fare il giro del palazzo. Il guinzaglio tirato, mi sento un re. Salta, cane! Gioca, cane! Obbedisci, cane! E lui obbedisce, e io sono contento perché a me non m'ha mai dato retta nessuno.

C'ho un amico: Marchioni Ilario. Non è goffo come me, non è secco, non c'ha i pantaloni troppo corti con la striscia chiara dell'orlo tirato giù. È più alto, con gli occhialetti, i pantaloni Levi's di velluto a coste, lunghi quanto le sue gambe. Non c'ha fretta nella voce, parla bene, e tira sempre fuori gli ideali. Ogni minuto che mi regali è un premio, Marchioni Ilario. Io mi strozzo di parole per raccontarti in fretta i miei pensieri, perché ho sempre paura che scappi da qualche altra parte più interessante di me.

«Bello il cane, bello davvero» fa Marchioni Ilario. «Come si chiama?»

«Bo? Zorro!»

«Zorro? Perché?»

«Bo? Perché è nero.»

«Bello.»

Mi sento un re: lui non ce l'ha il cane, e il mio gli piace.

Te lo presto, Marchioni Ilario, quando vuoi. Lui ci viene, basta tirargli il legno, così, vedi? Basta che lo carezzi sotto il collo, così, vedi? E se alzi un braccio lui si rovescia a pancia all'aria, così, vedi?

Pure al mare te lo faccio portare una domenica, tu che ci vai, al mare.

Sulla razza Marchioni Ilario dice che non è un bastardo: «È un volpino, incrociato a un pastore belga».

Io dico: «Non mi importa quello che è, ma se è di razza sono contento. Peccato Marchioni Ilario, c'è mia madre che non lo vuole, le ha già mangiato un cuscino e uno sportello della credenza buona».

«Dille che è ancora cucciolo, si sta facendo i denti, ma tra poco la smette, dille che spacchi il salvadanaio e dai tutti i soldi a lei che ci si ripaga il falegname, dille questo e quest'altro...»

Grazie Marchioni Ilario, alto, con i pantaloni Levi's di velluto a coste lunghi come le tue gambe. Grazie Marchioni Ilario! Grazie!

«Mamma, hai capito? È cucciolo, si fa i denti sul salvadanaio, tra poco sono grande, spacco la credenza e do tutti i soldi al falegname...»

No, io non mi spiego calmo come Marchioni Ilario, mi spiego con la febbre, inverto le parole, faccio casino.

«Il nervoso mi fa venire, questo cane, il nervoso!»

«E dai ma', e dai ma'...»

C'è Nanda che si sposa quell'estate. Il fidanzato ha scelto delle bomboniere stupende, di sughero.

Il cane se n'è già pappate otto. Nanda m'ha vestito con il cravattino di pelle, sembro John Wayne, ho lucidato il guinzaglio:

«Vieni Zorro! Andiamo al matrimonio, Zorro! Mamma, dov'è il cane?»

«Il riso? L'avete preso il riso?»

«Mamma, dov'è il cane?»

«Chiudetemi la lampo del vestito.»

«Mamma, dov'è il cane?»

«È arrivata la macchina, è arrivata la macchina della sposa!»

«IL CANE? DOV'È IL CANE?!»

«L'ho dato a quell'amico tuo, quello alto con gli occhialetti, me l'ha chiesto per bene, educato quel ragazzo, dice che lui ha dove tenerlo meglio. Prendi il riso.»

Posso scannarti, Marchioni Ilario, scendere in strada e scannarti. Invece lascio passare la cerimonia con il magone dentro e il pranzo che non finisce più. Nandina mi carezza la testa: «Non ci pensare, Pizzangrillo, mangia i confetti». Da queste parti non ci vieni più, Marchioni Ilario, resti all'isolato tuo, a camminare intorno al tuo palazzo, con i tuoi pantaloni Levi's lunghi come le tue gambe, e con il mio cane al guinzaglio. E sai tirargli il legno, t'ho insegnato io a farlo, sai carezzargli il collo, t'ho insegnato io a farlo. Marchioni Ilario, figlio di puttana, un giorno, prima o poi t'incontrerò. Ma intanto so che quando t'incontrerò non avrò più bisogno di te. Giuda serve una sola volta nella vita, poi vaffanculo. Vaffanculo a tutti i Marchioni Ilario del mondo.

Prima lo stomaco brontolava. Mi dava fastidio quel rumore di trattore che faceva. Poi una notte ha smesso. Ho camminato tutto il giorno, in bocca non c'ho nemmeno lo sputo, non c'ho fame, e non c'ho più il trattore. Meglio così, dico, un pensiero in meno. Intanto mi faccio la mia cuccia, mi metto lungo. Vedrai che adesso brontola e va a finire che ci dormo male, dico. Invece niente, niente trattore. Morto. Cazzo, dico, e in un baleno mi sento solo come mai nella mia vita. Scende un temporale e neanche me ne accorgo. Che cazzo piangi, scemo?, dico. È che quel trattore mi faceva compagnia, e ora mi sono perso la compagnia. Mi metto a camminare sotto l'acquazzone accanto al fiume, arrivo quasi al mare, cammino e dico: capita sempre così, porca puttana, di accorgersi delle cose quando se ne vanno. Poi mi sono abituato, ma dietro l'abitudine c'è il pericolo.

Senza pappa si schioda, e Zorro non ha nessuna intenzione di schiodare. Ci sto attento, quando è ora di cibaria Zorro riga dritto. Filo sotto il tunnel, passo la circonvallazione, l'auditorium, la moschea. E vado alla mia mensa preferita, quella delle suore col vestito azzurro, non così lungo, si vede pure un pezzo di gamba bianca e il sandalo francescano, e in testa gli escono pure un po' di capelli dalle scuffie. Perché a me le suore troppo coperte non mi convincono. Le azzurrone sono tutte suorine giovani, svolazzanti, straniere. Io poi c'ho un debole per la donna poco lavorata, e un paio di queste azzurrone, almeno una, Bernadette, scusate la bestemmia, me la slurperei da cima a fondo, dalla scuffia al sandalo francescano. Faccio per dire, s'intende: io non ho mai disturbato una mignotta, figuriamoci se disturbo una suora!

«Minestra o pastasciutta?», perché dalle azzurrone se arrivi presto c'è il doppio primo a scelta.

«Quello che c'è, Bernadette, va bene tutto. Che magrina che sei, che grissino di santità...»

Mi tengono in palmo di mano, a me, le azzurrone, perché io sono educato, mangio a bocca chiusa, porto indietro il vassoio, non sciupo il pane, non scoreggio. La dignità non è una tessera che te la dà la società civile, e se non ci stai dentro alla società civile perdi la tessera, te la ritirano come il banco-mat. No, la dignità è un seme che t'ha messo dentro il Creatore. Una cosa che è solo tua come il seme nei coglioni.

«Sei un buon cristiano, Zorro.»

«Merci Bernadette. Che magrina che sei! Che sottiletta mistica!»

Quando c'è odore di gentilezza è più forte di me, io divento un principe. «Un uomo gentile non è mai debole»... Ti ricordi, Nanda? Me lo hai insegnato tu, sorellina mia. Le azzurrone mi vogliono sempre regalare qualcosa, ma io non accetto, ho piacere ad aiutarle, sparecchio, se c'è bisogno, lavo pure i tegami. Come premio mi basta restare in un canto, le annuso. Profumano, anche dopo che hanno sudato sui pentoloni. Sono ancora più belle, perché sono stanche e hanno perso quel fremito da missionarie, da vergini del Signore, sono più donne. Si tolgono i sandali nella mensa vuota, e vedi che la chiesa si allontana, e torna qualcosa solo di loro, di persone. Non scappano più appresso a te lassù, Divino! No, restano con me che puzzo di vino. Io le capisco, loro lo sentono, e certe volte cantano.

Andiamoci piano, però, con la poesia. Se certi pensieri, dico, li faccio io, che sono un poeta per contingenza ovvia, che sotto il cielo nudo, dagli e dagli, si diventa tutti un po' poeti, bene, passi, che sono sinfonie mie da senzatetto. Ma te, Cormorano, te che dormi bene e mangi meglio, te non ti permettere. Io sto bene dove sto, non chiedo, però te, volontario, dama di carità, dama di san Vincenzo, te non venirmi a prendere per il culo. Oppure vienici te con il sottoscritto certe sere che me ne sto fuori dal pub con la gola asciutta che pare sale e mi sogno un boccale grosso come il gasometro e ci sono gli stronzetti di sedici anni che ci si fanno i gavettoni con la birra, e io alzo gli occhi al Creatore e dico: eh, bel lavoro hai fatto, te! Non era meglio che me la inglobavo io, tutta quella bella birra, invece di mandarla in merda?! O quando ho voglia di fottere. Vienici te, quando ho voglia di fottere, dottoressa Cormorana, assistente sociale, o mandami l'amica tua, la Cormorana sarda, la volontaria del giovedì. Veniteci voi a leccarmi il giocattolo, invece di tutte quelle chiacchiere! Ecco il buono-pasto, il buono-dormitorio, il buono-parrocchia! Fanculo! Dammi il buono tuo! Veniteci voi da questa bestia d'uomo quando di notte urla! Perché Zorro ha scordato tante cose, ma l'amore no, e c'ha una nostalgia nei pantaloni... Perché Zorro lo sa cosa vuol dire l'amore di una donna, andarsene via, giù, giù, in buca, e poi: pum! Come un tappo di spumante, schizzare via, con le bollicine negli occhi, nere, bianche, rosse, gialle! E c'hai il carnevale dentro, le stelline, e la guerra, e la vita, e la morte, e tutto il tabernacolo, quando gridi nel corpo di una donna, e la tieni per i capelli, forte! Te la batti contro il cuore, forte! Te la batti dentro, e gridi! Gridi! Amore! Amore! Amooore! Anna! Annetta! (*La bocca spalancata, si rannicchia, guarda su verso una immaginaria finestra.*) No, Anna, non chiamare i servizi sociali, lo so che non posso sostare sotto casa tua. Non ti do noia, sai... volevo solo chiederti se la tua testa, lì, in mezzo, ce l'ha ancora quell'odore forte che ci strofinavo il naso la sera quando tornavo a casa... Posso restare? Non ti do noia. Ti fai le cose tue, il minestrone, i piatti, quello che devi fare, e poi magari ti vieni a fumare la sigaretta sul balcone, così ti vedo meglio. Posso guardare? Posso guardarti tra le gambe, Anna? Posso guardarti tra le gambe così muoio?

Io traverso a vanvera. Sono sempre stato distratto, ma prima cercavo di mantenere un po' di vigilanza, ora me ne frego, non le guardo le macchine. Suonassero pure, pepperepè!, s'arrangiassero. Mettiti paura te, Cormorano, col tuo monovolume, io paura non me la metto neanche se m'inchiodi col parafanghi sui polpacci. Tanto hai più paura te di acciaccarmi che io d'essere acciaccato. Non è che cerco l'incidente, è che io sono un ballerino, se mi tira una cosa dall'altra parte del marciapiede prendo e vado. Dici che non sono normale? Calma, Cormorano, qui c'è da fare un discorso lungo. Io non lo faccio. Dico solo che normale è una parola storta. Parliamo di frequenza e infrequenza, così mi sta meglio. Diciamo che è infrequente che la gente attraversi a cazzo come me. Io sono un infrequente. Infrequente è bello, è una rarità. È come un fico a dicembre. Io sono un fico a dicembre, una ciliegia a gennaio, una pesca a febbraio...

Quando è stato che il piano di cristallo s'è inclinato? Era lì davanti ai miei occhi, tutti ci stavano sopra, regolari. Sì, ogni tanto mi davano un po' noia, ma ci stavano, regolari... S'è inclinato in un verso. Non me ne sono accorto subito, ho visto tutti che scivolavano sul vetro. S'è svuotato, è rimasto di traverso. La vedo, 'sta linea obliqua davanti a me, sembra che deve cadere da un momento all'altro, ma non lo fa, rimane...

«Guarda che ho fatto la polenta con le spuntature, passa a prenderla, così Anna non cucina, passa a prenderla...»

«Mamma, è agosto... la polenta con questo caldo?!»

Massì, fredda la polenta è buona, sul terrazzo, con Anna, con una bottiglia di birra, e magari stasera non litighiamo. Magari stasera facciamo l'amore...

Giro l'angolo con la teglia sul cruscotto.

Pare che corresse, l'hanno detto i testimoni, era il garzone di un benzinaio, era andato a cambiare i soldi interi al bar. Correva con la tuta azzurra, sporca di grasso. Sento solo un botto, il vetro diventa azzurro, azzurro come la sua tuta, come la sua schiena. La testa gliela vedo dopo, quando scendo e le gambe mi fanno giacomo giacomo, e c'ho un pezzo rosso di sugo sulla camicia. Una testa nera, di capelli come i miei, che fa: ahia ahia.

«Non lo muovete» dice qualcuno, ma io invece lo

sollevo subito e una goccia di sangue cade dalla sua testa sulla mia scarpa. In mezzo alle gambe, all'improvviso, mi ritrovo un cane che mugola, e fatico a camminare. Il garzone lo metto sul sedile davanti.

«Ahia, ahia...»

«Non ti preoccupare ti porto all'ospedale.»

Intanto è arrivato il benzinaio titolare: «Mario, che ti sei fatto? Mario, mannaggia a te! Mario rispondi, stai bene?».

Mario con la testa fa di sì.

Il cane s'è infilato dietro e mugola, e adesso il benzinaio titolare lo tira per il pelo: «Mario, il cane tuo non vuole scendere, quanto è stronzo questo cane!».

«L'olio» balbetta Mario, «l'olio a quello dell'Alfa...»

«Non ti preoccupare, ci penso io» dice il benzinaio titolare e chiude lo sportello: «Mannaggia a te, Mario! Perché non hai guardato?!»

EH, MARIO, PERCHÉ NON HAI GUARDATO?

All'ospedale se lo portano via subito con la barella, io ci rimango tutta la mattina, e mentre ci rimango arriva la madre. Mi presento: «Io sono l'investitore. È stata una disgrazia, correva senza guardare».

«Lo so, Mario corre sempre senza guardare.»

Dopo un'ora s'affaccia un medico simpatico: «C'ha due costole rotte, qualche problema alla milza, anche al polmone, alla testa invece niente d'importante».

Sbircio dentro, vedo Mario con la testa bendata, mi riconosce, mi fa pure un mezzo sorriso.

Passo da mamma. Arriva pure Nanda con il figlio, che mamma le ha telefonato subito. Sto vicino alla finestra in cucina con un bicchiere d'acqua in mano, guardo lo straccio da terra steso fuori. L'acqua non sta ferma nel bicchiere perché tremo. Cade. Il cane se la lecca.

«C'ha sete 'sta bestia...»

«Che ti sei fatto il cane, zio?» dice Fiorenzo, il figlio di Nanda, che adesso fa già le medie e sembra ieri che gli abbiamo fatto il battesimo.

«Non è mio, è di quello dell'incidente.»

«L'importante è che c'hai i testimoni, che dicono che non è colpa tua» dice Nanda.

Mamma ha acceso il ventilatore, ma quello muove solo aria calda. E nell'aria calda c'è quell'odore di famiglia riunita dove tutti ti vogliono dare una salvata, e tu ti prendi la pacca sulle spalle, il sorriso buono, che ti serve, perché non riesci a mandare giù manco un sorso d'acqua.

«Ma che ci facevi in giro a quell'ora?» dice Nanda.

«S'era venuto a prendere la polenta» dice mamma.

«E dai ma', e quando la smetti? La polenta con questo caldo?!» dice Nanda.

«E che vuoi dire adesso? Che è colpa della polenta mia? Sono sessantanni che la faccio e non è mai successo niente!»

«Oggi era meglio che non la facevi, non si fa la polenta il dieci d'agosto. D'estate si mangia la caprese!»

«A me la caprese mi mette tristezza!»

«Ma che vi mettete a litigare?»

Nanda telefona al mio ufficio. Dall'altra parte sento la voce di Cattaruzza... è venerdì, dovevamo giocarci i numeri insieme, io e Cattaruzza. Nanda riattacca: «Non ti devi preoccupare, hanno detto che se ti serve qualche giorno te lo puoi prendere».

Al pomeriggio vado alla questura, per il verbale.

«Deve stare tranquillo, ci sono i testimoni, il ragazzo correva senza guardare» dice quello in divisa. «D'estate la gente ha la testa che gli bolle, ne capitano troppe, guardi quanti fascicoli. Nel caso suo non c'è nemmeno il morto, è fortunato.»

«Posso fumare?»

Dice di sì, che anche lui fuma, anche se vuole smettere: «Perché oggi come oggi» dice «non si può più fumare».

La sera passo all'ospedale, ma non è più orario. L'infermiera affaccia la testa nella porta a vetri e dice che Mario è stazionario: «Non si lamenta, dorme».

A casa, mentre sparecchia, Anna dice: «Amore, questo cane, perché non l'hai ridato alla madre di questo Mario?».

«Non me ne sono accorto che stava in macchina.»

«Telefonale.»

«Non la posso scocciare per il cane, domani vedo come fare.»

Anna cerca di spingere fuori il cane, sul terrazzino: «Puzza, madonna quanto puzza!».

Ma il cane, si capisce, è abituato a stare dentro.

«Che palle, mettilo fuori te, io vado a letto.»

Mi fumo una sigaretta sul terrazzino, e il cane dopo un po' piglia e viene da me. Mi lecca la mano: «Oh, scemo! M'hai spento la sigaretta!».

Quello mugola. «Che hai fatto, bello, ti sei bruciato la lingua?»

Con Mario diventiamo amici. Passo tutti i giorni a trovarlo dopo il lavoro.

Gli porto i succhi di frutta. Gli piacciono all'albicocca, li beve con la cannuccia che c'ha il collare di gesso.

«Che faccio col cane, lo do a tua madre?»

Mario fa di no con gli occhi, che la testa non la può muovere: «Mia madre è allergica, c'ha l'asma cronica, il cane lo tenevo io al distributore...».

«Non ti preoccupare, finché non esci ci penso io. Come si chiama?»

«Zorro.»

«ZORRO?!»

Devo dire che non è scemo questo cane, quando esco dall'ospedale mi guarda e sembra che mi chiede come sta Mario. «Sta meglio» gli dico, «tra poco smammi.»

E una sera gli faccio la sorpresa a Mario, piglio Zorro e me lo infilo sotto la giacca, accanto al cuore: «Guarda chi t'ho portato!».

Zorro mugola, scivola con le unghie sul pavimento, salta sul letto, scende, sembra matto. Mario c'ha le lacrime. Si abbracciano.

Io ho paura che gli fa male a Mario: «Stai fermo Zorro, stai giù...».

S'accuccia in fondo al letto, gli lecca i piedi che

siccome fa caldo stanno fuori dal lenzuolo. C'ha i denti gialli, brutti...

«Quanti anni c'ha 'sto cane?»

«Non lo so. L'ho trovato mezzo morto in mezzo alla strada, l'avevano messo sotto...»

«Pure lui?»

«Sì.»

«Ah, ma allora siete rincoglioniti di famiglia?»

Mario ride, ride male, che c'ha il collare di gesso.

«Oh, piano, Mario! Mannaggia a te, Mario! Mannaggia a te.»

Al ritorno, sotto la giacca Zorro trema. Incontro un portantino che mi guarda male, ma per fortuna i portantini se ne fregano di tutto.

Anche sul terrazzo trema, non mangia niente e stasera gli ho preso pure la scatoletta buona: «Guarda che se fai così non ti ci porto più eh, hai capito?».

Trema con tutto il caldo che fa... Ma non è che questo adesso piglia e muore? Vado in cucina e gli faccio il latte. Non vuole manco quello.

«Oh, Zorro, non fare il deficiente, tu devi campare, almeno finché Mario non esce dall'ospedale, poi fai come ti pare.»

C'ha il muso secco, glielo bagno. Mannaggia a te, Zorro, mannaggia a te! Forse è meglio che lo porto al pronto intervento... Dove sta il pronto intervento per i cani?

«Anna, cerca sulle pagine gialle: Pronto intervento cani.»

«No, io non cerco. Io, c'ho la febbre! No il cane!»

«Vuoi un'aspirina?»

«No, voglio che gli ridai il cane!»

Dorme. Quanto sei bella amore mio. Quanto sei bella. Io m'accuccio accanto al cane: per fortuna respira.

«Chissà perché t'ha chiamato Zorro? Non c'hai nemmeno il pelo nero, sei giallo...»

D'estate mi lavo in strada. Mi sbrigo, perché c'è sempre quello che c'ha da ridire, che la fontana è un servizio pubblico, perché l'auto ce la puoi lavare, puoi fare un porcaio di detersivo e io che sono ecologico, che non faccio schiuma, io ti do fastidio. Io ti offendo il pudore, Cormorano. Non voglio discutere, mi sbrigo. C'ho tecnica. Vado prima col busto, una sciacquata di ascelle si perdona a tutti, anche a un barbone, poi mi guardo in giro, guardo se è sgombro e vai, vado sotto col capo, una botta di marsiglia, che quello non inquina. C'ho tanti capelli io, una condanna. Mi dico: tirateli via Zorro, a che ti servono? Mi fanno compagnia. E poi mi sono accorto di certe occhiate brutte dei pelati. Occhiatacce che parlano, eh, Cormorano? Lo so cosa stai pensando: ma come! Io mangio l'insalatina, non bevo, cago tutti i giorni, mi spalmo la placenta e perdo il pelo, e questo che sta in strada, che fa la vita di un cinghiale, che si scortica col marsiglia, guarda che chioma...

Eh Cormorano, pelatone mio, il Signore fa quello che vuole, dispensa la roba a gusto suo, a me m'ha regalato 'sti capelloni, 'sti bulbi che non schiattano nemmeno sotto tre strati di unto, e io da buon cristiano me li tengo. Per non fare torto al Signore nostro, e per far schiattare te. Te col mocassino aerodinamico, il pile idrorepellente, l'occhiale di tendenza e la testa liscia.

Per il pacco mi faccio il boccione. Non sono il tipo che si tira fuori il giocattolo, la mitraglia, in mezzo alla strada. Non voglio umiliarti, Cormorano. Riempio il mio bel boccione e vado ai giardini. Sto attento che non ci sia nessuno, strofino col marsiglia e sciacquo col boccione. Dopo, a palle, mi sento un cannone. Rimetto su la divisa. Impeccabile. Allora mi chiedo: ma che sono tutti 'sti bisogni, tutti 'sti negozi? Obblighi, fregature. Io, con questo vestito, ci faccio le quattro stagioni. D'estate scalo la giacca, d'autunno apro i bottoni, d'inverno tiro su il bavero che c'ho la cervicale. Te invece, Cormorano, di abiti ce n'hai uno per ogni sputo di tempo. Con quattro gocce tiri fuori il trench, te. E dove li metti, 'sti vestiti? Mica te li puoi tirare dietro! Ti serve l'armadio. E l'armadio dove lo metti? In mezzo alla strada?! No, ti serve una casa. La casa chi te la tiene? Una negra? Meglio una moglie, le negre le tiri su il sabato sera nei viali. E la domenica che fai, non la porti fuori, tua moglie? Ti serve una macchina, e serve che ti fermi a comprare i bignè perché serve che vai dai tuoi suoceri. Cazzo, è domenica! Cazzo hai il trench, hai il piuma d'oca, lo spigatino! Cazzo, Cormorano, compra i bignè! Zorro non ha il trench, non ha lo spigatino, non ha l'armadio, non ha la casa, non ha la moglie, non ha i suoceri, e i bignè lo fanno vomitare. Com'è brutta la domenica, Cormorano! Il dopopranzo, dopo i bignè, tutti quei televisori accesi, i bambini ai giardinetti, la fila all'altalena, il padre che parla al cellulare con gli amici: dove siete? Dove siete? La madre che parla all'altro cellulare con gli altri amici: dove siete? Dove siete? Il bambino che parla da solo: dove sono? Dove cazzo sono? La settimana è più disinvolta: lavorate. Lavorate per i de-sideri: per il de-coder, per il de-umidificatore, per il de-caffeina-to, il de-ntifricio anti-placca. D'altra parte, come fai, Cormorano, ti tieni la placca? Non puoi, cazzo, rimuovila! Sei pelato, non puoi farti lo shampoo, almeno rimuovi la placca! Paga i de-biti! Ma quan-to siete abbienti! Quanto siete de-ficienti... Eppure mi mancate tanto, Cormorani. Zorro vi abbracce-rebbe tutti, sì, vi imbarcherebbe tutti in un grande abbraccio. Una crociera del cuore. Tutti con le ban-dierine! Tutti con le bandierine! Tutti sul ponte del-la nave a ballare! La notte è magica, il mare nero, sembra petrolio!... (È petrolio.) O mare nero, o ma-re nero, o mare ne... Tu eri chiaro e trasparente co-me me... E io? Cazzo, perché io non sono lì con voi? Aspettatemi, il caffè! Io non l'ho avuto. Torna in-dietro, capitano! Ridammi la mia musica! Sono an-cora giovane, sono ancora vostro! Voglio ballare anch'io, datemi la mano... Fermate il de-stino! (Stretto a se stesso, balla.)

Qualche notte la passo in stazione, e i ferrovieri mi ci lasciano stare, che io sono gentile, gli faccio il sorriso. Perché il ferroviere smonta dal treno incazzato che tutti gli hanno dato addosso a lui per il ritardo, per il posto a sedere che non c'è, e lui dice: non sono mica il ministro dei trasporti io, sono un poveraccio. Io gli faccio il sorriso, al ferroviere che è un eroe, perché c'ha lo stipendio da ferroviere e gli insulti da ministro dei trasporti. Ora che è inverno, invece, mi sono preso la suite, l'abbonamento al regionale. Prendo l'ultimo treno della sera, mi metto lì buono con i pendolari, ascolto le chiacchiere, guardo le facce, mi immagino che roba li aspetta a casa, nel piatto, nel letto. Si pensano che anch'io sono uno che torna dal lavoro.

«Dov'è che scendi te, Zorro?»

«Poi, scendo poi.»

Finché ci resto solo, sul vagone, a sentire gli scambi sotto le ossa. Resto fino a che il treno si ferma, e allora è come se si ferma il cuore. Sento i grilli, e qualche cane. E lì accanto, sul sedile vuoto, vedo qualcosa, un pesciolino, una speranza. E ti capita di credere che stai andando chissà dove, che la tua vita galoppa ancora. (*Fa un fischio lungo come quello di un treno.*)

Se c'è una cosa che proprio non mi manca è il telefono. M'ha sempre fatto una certa impressione, è come averci un estraneo in casa. E non lo puoi sbattere fuori, sta lì immobile, di plastica. In agguato. E appena te lo scordi: driiin, driiin, driiin...

Il fatto è che dal telefono ti aspetti qualcosa che t'interrompe, che s'infila in casa tua per cambiarti l'ordine delle cose: «Pronto? Lo sa che lei sarebbe un buon presidente della repubblica, vuole provare?». «Ma io sto in mutande.» «Non si preoccupi, le mando l'elicottero.»

«Pronto, sono Lulù, vent'anni fa a Cattolica, quella con il bikini piccolo e le tette grosse, ti ricordi? Ci ho ripensato, voglio fuggire con te. Vengo con lo stesso bikini, certo. Anche tu ricordati il cappello giallo, quello dei punti Agip. Non è ridicolo, è bellissimo! Il fighetto abbronzato con la maglietta Fruit of the Loom? L'ho lasciato. Voglio te, le tue gambe bianche piene di peli neri! Ma non hai letto il giornale stamattina? Adesso vai di moda te! Dai, sbrigati.»

Cazzo, arrivasse mai una notizia così, un risarcimento! Lo sai che non arriverà mai, eppure da qualche parte dentro di te ci speri. E anche Anna ci sperava. Hai voglia, se ci sperava!

«Rispondi tu o rispondo io? Chi è?»

Chiunque sia, io non l'ho invitato. È uno che s'infila in casa mia, m'interrompe i pensieri, e non mi chiede scusa.

«Cerca di essere più cortese!»

«E che ho detto, Anna?»

«Non saluti, fai un tono...»

«Che tono faccio? Io sto a casa mia.»

Anna ci passa le ore, al telefono, con le gambe sul divano, si tocca le unghie dei piedi mentre parla. Ma che è tutta 'sta voglia di parlare con un filo?

Quanto sei bella, Anna, parla con me.

Ora quando ci passo vicino, a un telefono, scoreggio. Te con me hai chiuso, bastardo. E mi fa pena tutta quella gente che si ferma per strada a rispondere, che ci casca pure dal motorino. Tutti con la telefonia mobile, tutti in contatto. Pronto? Pronto, che succede? Niente, non succede niente, regolare. Poi è arrivata la telefonata che ha cambiato l'ordine delle cose, cazzo se è arrivata...

Driiin! Driiin! Driiin! Sono le sette e mezza di mattina, è dalla questura. Una voce dice che Mario è deceduto per complicazioni polmonari.

«Ma come? Stava bene...»

«Non stava bene: è morto.»

Poi dice altre cose: omicidio colposo, testimoni, avvocato... Io non ascolto più.

«Ha smesso di fumare, maresciallo?»

«No, e lei?»

«No.»

Certe volte si dice che il mondo casca addosso. Si dice tanto per dire. Invece è vero. Sento un botto dentro, nel petto, poi a salice piangente nelle gambe e nelle braccia, un colpo e un vuoto, un colpo e un vuoto, e appresso viene giù tutto, la libreria, il calendario, le cazzate, tutto...

«Cos'è successo?» dice Anna che ha il caffè in mano e la vestaglia rosa.

«È morto.»

Adesso faccio paura. Anna non mi tocca, nessuno mi tocca. Perché se qualcuno s'azzarda a mettermi una mano sulla spalla io urlo, urlo forte. Perché io oggi ho ucciso Mario. Oggi vedo la sua tuta azzurra sul vetro della mia macchina, e sono tutti azzurri intorno a me.

CAZZO, MA', NON SI FA LA POLENTA IL DIECI D'AGOSTO...

C'è un regalo che la strada ti fa: ti regala il tempo. Ti sembra un regalo brutto, solo noia, ma non è vero. Perché se tu alla testa gli dai il tempo, quella lo moltiplica, moltiplica la merda, la maionese impazzita, ma anche tante sensazioni belle, allora è come nuotare nel mare senza averci il pensiero di dover tornare sulla spiaggia. Io ho tempo. Nessuno mi corre dietro, nessuno mi aspetta, nessuno dice: la testa di Zorro non è tornata a casa per cena, è rimasta a nuotare in panchina, andiamolo a cercare che la pasta si scuoce. Fanculo, si scuocesse tutta la pasta del mondo! Io mi faccio un goccio, e me ne vado, volo come un rondinotto. Mi guardo dall'alto, steso sulla mia panchina col mio cartone di vino e rido, e volo ancora, e supero l'ozono, e arrivo dal Padreterno, lassù, sul nuvolone di zucchero filato, gli do di gomito, si entra in confidenza, e lui mi fa: «Vedi, Zorro, io 'sta giostra terrena l'ho armata solo per farmi due risate».

E io gli faccio: «Dai, Padreterno, fammi stare un po' quassù con te a guardare 'sto videogame, 'ste valanghe squinternate di vivi, quelli che saltano fuori pista con le macchine, quelli che saltano dai balconi, quelli che saltano con le bombe, quelli che saltano e basta».

«Ti piace?»

«Urca!»

«Vedi, Zorro, io potrei prenderli e rimetterli al loro posto senza fatica, ma non lo faccio.»

«E perché?»

«L'hanno voluto, 'sto regaluccio del libero arbitrio? Se lo tenessero.»

«Senti, vecchio mio» gli dico, «lo vedi quello lì, quello con la tuta azzurra da meccanico, si chiama Mario...»

«Embè?»

«Quello l'ho buttato sotto io, mi dispiace...»

«Embè?»

«Me lo rimetteresti dove stava, lì, alla pompa di benzina vicino casa di mia madre?»

«Ma chi, Mario? Quello che corre senza guardare? Ma che t'importa! Ce n'è tanti di benzinai in giro! Dai, ridiamo!»

«Ma, sì! Ridiamo. Ridiamo su 'sto libero arbitrio! Lasciamoli saltare!»

Poi finisce il vino, il carburante finisce, e il Signore mi dà il calcione, mi ributta sotto in panchina con una testa che sarebbe meglio svitarla e giocarci a calcetto, che c'hai dentro quattromila api e stavolta c'hai anche quella troia della regina.

Nel testamento il cane non c'era. Non c'era nemmeno il testamento. Così Zorro è rimasto con me. E chi lo vuole indietro un cane con il pelo color piscio? Al lavoro ho chiesto le ferie anticipate, me le hanno date. Anna invece lavora, sta fuori tutto il giorno. Io esco con Zorro, lo porto ai giardinetti. Passo pure al negozio di animali, con i criceti, gli uccelli turchesi, gli compro il riso soffiato, l'osso finto. A casa guardiamo l'album delle fotografie per passare il tempo: «Tieni la bocca chiusa che goccioli la lingua sulle foto... Guarda, Zorro, io, a scuola, con il fiocco blu storto. Guarda mamma in bianco e nero, io sono quello col cappuccio bianco. Qui, invece, facevo il militare. Papà in bicicletta. Nanda con il figlio in braccio. Anna il giorno del matrimonio con i fiori in testa. Anna sul terrazzo. Anna a carnevale. Anna in montagna. Anna che abbiamo appena fatto l'amore e si vergogna e ride. Vedi com'è bella, Anna?».

Zorro ascolta. Non penso che capisce: è un cane. Però ascolta. Mi fa bene che qualcuno mi ascolta, perché adesso c'è tanto azzurro intorno a me... lo stesso azzurro della tuta azzurra di Mario. Lavo le tende, sistemo i cassetti, cucino. Cucino tante cose buone per Anna: «Ti piace?».

«Quand'è che torni a lavorare?»

«C'ho messo un po' di coriandolo, assaggia.»

«Quand'è che torni a lavorare?»

Lo so cosa pensi, Annetta: adesso mi ritrovo per casa questo che porta a spasso il cane, cucina e mi fa ingrassare, e quest'estate col due pezzi al mare mi esce la pancia. S'è iscritta a una palestra, torna sempre tardi.

«Quante ore fai in palestra?»

«Quante me ne pare, mi sfogo.»

L'istruttore ogni tanto telefona a casa:

«C'è Anna?»

«Chi è?»

«Sono il personal trainer.»

Parlano, ridono. Perché non parli con me, Anna? Scusa, non sono affari miei, scusa. Io sono contento che ti sfoghi, Anna: «Ti aspetto per cena?».

Dice di no, dice di cenare da solo, che lei si è già presa lo snack alle sette, il centrifugato di carota con il panino integrale. Anche io e Zorro ceniamo presto, riso e pollo bollito, però, perché i grassi ci fanno male al fegato. Quando Anna torna io sto già a letto col pigiama, non dormo, lei si cambia e io respiro il suo odore. Poi una sera torna prima, vede Zorro che dorme accanto a me: «Ti teneva caldo il posto...».

Urla, s'arrabbia tanto. Dice che è uno schifo vero che quel cane puzzolente mangia nei suoi piatti e dorme nel suo letto, dice che non ci sto più con la testa, che sono ossessivo con quella bestia, che ho cambiato carattere, che sono invecchiato, che puzzo come quel cagnaccio. E domenica, quando andiamo a pranzo dai suoi, urla ancora, urla che il cane posso lasciarlo sul terrazzo, invece di portarmelo dietro.

«Ma perché, Anna? I tuoi hanno quel bel giardino...»

Al ritorno, in macchina, urla ancora, rauca, perché non ha più voce:

«Ci mancava poco che prendevi il piatto e andavi a mangiare in giardino con il cane! A tavola c'avevi una faccia... non hai detto nemmeno una parola, non hai mangiato nemmeno un bignè! Non ne posso più. Fa caldo, apri il finestrino. In tanti anni non sei stato capace di comprarti una macchina con l'aria condizionata! Il personal trainer invece ce l'ha! Tutti ce l'hanno, tu invece c'hai la macchina sequestrata perché butti sotto le persone!»

«Sei andata in macchina con il personal trainer, Anna? Quando?»

Zorro ha visto una cagna, salta sul sedile, abbaia, e per sbaglio graffia Anna sulla spalla, le vengono quattro strisce rosse delle unghie di Zorro.

«Ora fermi la macchina e fai scendere questa bestia, sennò scendo io!»

«Va bene, lo faccio scendere», tanto ormai siamo vicini a casa, Zorro se la ricorda, la strada.

Ma non c'è verso di tirarlo giù, punta le zampe. Anna grida, mi prende a pugni: «Stronzo! Stronzo, stai facendo finta! Scendo io, allora. Scendo io!».

La seguo sotto il sole con lo sportello aperto, e Zorro davanti, al posto di Anna, con la lingua fuori dal finestrino.

«Amore, ti prego, sali...»

Piange. È tragico, penso, però mi viene da ridere.

A casa Anna si mette a letto con il ghiaccio in testa. Ha la febbre. Colpa tua, Zorro. Colpa tua... Non fare quella faccia abbacchiata, sai? Forza, dammi una leccata. Una sola, ho detto. Esagerato.

Quella notte dormo sul divano, torno nell'azzurro. Sogno che non farò più l'amore, e nel sogno c'è Anna che fa l'amore con un altro. Lo fanno sul cofano della mia macchina. Io sono al volante. Lui ha i capelli neri di Mario, la sua tuta azzurra si muove, si muove sopra Anna. Poi si volta... Marchioni Ilario. Marchioni Ilario, figlio di puttana! Spingo il piede sull'acceleratore più che posso, fino in fondo. Crepa, Marchioni Ilario! Crepa, Giuda! Anna è lì sul vetro, lunga e nuda, mi guarda, la guardo. Guardo la sua bocca, i suoi capezzoli blu...

Non voglio perderti, amore mio. Non voglio perderti. È l'alba, sono sveglio, Anna dorme ancora. Dimmi che sono ancora in tempo. Ti prego, dimmi che sono ancora in tempo. Come sei bella, Anna. Vieni, Zorro, vieni che ti metto il guinzaglio. Usciamo presto stamattina. Stamattina devo crescere, Zorro. Lei non vuole un bambino invecchiato, lei vuole un uomo. Ha ragione, sai? Le donne hanno sempre ragione. Sali, Zorro, sali in macchina, ci facciamo un giro. Guido io e tu stai fermo, orecchie basse sul sedile. Ognuno ha il suo destino, sai? Non possiamo andargli contro. Non è lo stesso, dici, tu sei un cane, io un uomo, tu hai un guinzaglio, anch'io ce l'ho! Un nodo che mi strozza l'anima, una mano nera che tira... il destino. E non cercare di tornare indietro. Siamo arrivati, scendi. Non posso tenerti, io la amo. Scendi, cane. Io conosco l'odore dei suoi capelli. Scendi cane. Lei mi bacia gli occhi quando dormo. Scendi cane.

Farò come vuole lei, tornerò al lavoro. Scendi cane. Avremo un figlio, lo porterò sull'altalena. Scendi cane. Comprerò i bignè la domenica. Scendi cane. Avevo un cane, sai?, da bambino, me l'ha portato via un amico. Un colpo basso del destino. Scendi cane. Scendi. E non cercare di tornare indietro.

È rimasto lì, nella mia schiena, Zorro, le orecchie diritte, il pelo color piscio. Cazzo ha capito, non m'è corso dietro, s'è fermato, e c'era vento, e il pelo andava come una bandiera, come una nave che si stacca dalla banchina. Tornerò da Anna prima che si svegli: sono qui, le dirò, il cane l'ho lasciato al suo destino, come una bandiera, come una nave che si stacca dalla banchina. Sono un uomo adesso, non sono più un bambino.

Vado in ufficio, con la Lacoste a maniche lunghe, tranquillo, come uno che è stato in ferie. I colleghi mi stanno intorno, vogliono tutti prendere il caffè con me, parlo con il capufficio: «Allora, come va?».

«Bene, va bene...»

È tutto azzurro, il capufficio. Riprendo il mio

posto, regolare. A fine turno Cattaruzza mi prende per un braccio: «Che numeri ci giochiamo?».

Ha la mano che appiccica, mi dà fastidio quella mano appiccicosa sulla Lacoste fresca, a maniche lunghe. Mi dà fastidio quella zampa azzurra:

«Togli 'sta mano, Cattaruzza!»

«Oh, che c'hai?»

«TOGLI 'STA MANO! TOGLI 'STA MANO, CAZZO!!!»

Indietreggia, Cattaruzza, non troppo, ma indietreggia. Ecco, hanno cominciato tutti a indietreggiare, un passetto alla volta. Voi, Cormorani, ve ne siete andati, non io. Il piano di cristallo s'è inclinato e siete scivolati via da me... Anna ho cercato di trattenerla. Dice che l'ho presa per la gola, dice che l'ho picchiata, non è vero. Ho solo cercato di trattenerla: «Come, mi lasci?» ho detto. «Io ho lasciato il cane...»

«Potevi tenertelo il cane, fallito!»

Ho preso il guinzaglio e sono uscito a cercarti, Zorro. S'è fatto buio e non t'ho trovato. Ora torno indietro, ho detto, ma non sono tornato. Ho tolto la Lacoste, ho messo su il guinzaglio. Era il mio destino, non si torna indietro.

Sì, i primi tempi qualcuno m'ha reclamato, poi m'hanno dato per disperso, amen. Nanda, testa dura, m'è venuta a cercare in stazione.

«Che ci fai te, qui, Nandina?»

«T'ho portato il portapranzi con la lasagna.»

«È domenica?»

«Sì.»

«E tuo marito? I figli?»

«Gli ho fatto il piatto poi sono uscita.»

«Pensi a tutti, te...»

«Finché posso.»

Mangio, e gli stormi della stazione ci cacano sulla testa: «Porta fortuna...».

Si guarda la gente che passa, e la panchina con noi due sopra sembra ferma nel cielo, nel niente.

«Ti porto la lasagna ogni tanto, un po' di biancheria. Così ci vediamo.»

No, Nandina, non ci rivediamo, lo sai bene. Va meglio così. L'amore per noi è nel pensiero, nel silenzio. E poi che vuoi cercare di riacchiappare mai? L'infanzia è andata, è andato pure il resto...

«Quanti anni avevi, quando si giocava sotto il tavolo?»

«Quattordici, e tu sei...»

Tu già con le tette, io magro allampanato... Mi compravi il maritozzo con la panna, e quando mamma non poteva ci venivi tu a parlare con i professori... «Chi è lei?» «La sorella, sono la sorella...» ... e mi tenevi la mano stretta e ci sudavi dentro. Quanto hai sudato, Nanda, per sopravvivere!

«Senti, te lo ricordi quel cane che c'avevo da bambino...?»

«Quale cane?»

«Non te lo ricordi?»

«No.»

Mi guardi, guardi il guinzaglio intorno al mio collo, non dici più niente.

«Ti vergogni di me, vero?»

«No, io ti rispetto, perché hai avuto coraggio.»

No, Nanda, ci vuole molto più coraggio a restare dove sei te. Io sono un vagabondo, un egoista. Sono un maschio, Nandina, mi giro il cazzo tra le mani, e in cuor mio so di non essere tanto più grande di lui.

«Ce l'hai un fermo posta alla stazione?»

«No.»

«Prenditi un cellulare, quelli usati ormai te li tirano dietro, dai, te lo regalo io...»

«... Nanda, ma che stronzata è? Faccio il senzatetto col cellulare?»

«Allora come facciamo, chiami tu?»

«Sì, chiamo io.»

«No, tu non chiami.»

Non chiamo no, Nandina, non chiamo. E togliti quella lacrima dalla guancia, perdio!

«... E chi piange?! Rido. Lo vedi che rido, Pizzangrillo?»

Non mi chiamare Pizzangrillo! Se mi chiami Pizzangrillo mi attacco alle tue gonne, e ci muoio, addosso a te!

«Non t'alzare, resta. Vado sola, c'è il sole.»

Che sole c'è, Nandina? Dimmelo! Che sole c'è?! Te ne vai, verso il tuo capolinea, attraversi la strada, scompari dietro un muro di autobus. C'è un uccello fermo. Guardo lui. Con una zampa si gratta l'ala. Lo guardo per non pensare a te, alle tue gambe che vanno, alla tua schiena, per non pensare che siamo nati dalla stessa pancia, cresciuti nello stesso brodo, e non è giusto che te ne vai dentro un autobus, non è giusto che siamo diventati vecchi. Voglio un maritozzo con la panna, Nanda! E appresso mi ci mangio le tue mani. Voglio i tuoi baci, quegli strattoni per strada: «Muoviti, Pizzangrillo! A che pensi?».

Ora lo so a cosa pensavo, Nanda. Pensavo che un giorno sarebbe successo così, e non volevo. Per questo mi fermavo in mezzo alla strada, per fermarti, scema.

Ma resta, sai, qualcosa resta, in quest'aria davanti a noi, tra queste gambe che ci passano davanti come pensieri. Ti sembra che è finito, è finito tutto, t'hanno pure fregato le scarpe, i documenti, che quando arrivi sulla strada sei carne alluvionata... Poi viene lo strano, una mattina ti svegli e t'accorgi che un po' di vita ti è tornata dentro, magari dal buco di un sogno, o dal buco di una bottiglia. Ti scacci una mosca dalla fronte, che fino a un attimo prima la lasciavi stare. Apri gli occhi e sei neo-nato, nel basso, nella merda, ma sei neo-nato. E questa vita qua la rispetti più dell'altra. Sei piccolo, bisognoso, ma già sapiente. Non ti fregano più con il superfluo, con i fuochi d'artificio. Hai in mano un nocciolo di pesca, chiudi il pugno, è tutto quello che ti serve.

Hanno messo il grido d'angoscia in città, ci sono troppi uccelli, troppa merda. La gente si lamenta per il puzzo, così il Comune ha messo il grido d'angoscia, esce dagli altoparlanti attaccati agli alberi. Adesso non ci sono più uccelli, non c'è più merda, non c'è più puzza. C'è il grido d'angoscia. (*Fa un urlo agghiacciante simile a un furioso muggito.*)

T'ho visto Cormorano, affacciato alla finestra, gridavi: «No, l'angoscia, no! Ridateci la merda! Ridateci la merda!».

Stasera sì, stasera vado al diurno e mi faccio la doccia. Mi scortico d'acqua bollente, ne ho voglia. E se trovo Simonetta, quella col culo basso che ci pulisce tutti i gradini della scala mobile, quando le do indietro l'asciugamano se lei non lo butta subito nel secchio ma se lo tiene vicino, l'asciugamano dove mi sono asciugato io... la invito a mangiare un gelato da McDonald's. Magari ci viene. Magari mi dà un bacio.

Si allontana abbaiando allegramente, come un cane che fa le feste.

Grazie a Renata e Antonio, come sempre.

I libri della Piccola Biblioteca Oscar

Yoka, Daishi, *Il canto dell'immediato satori* (n° 21, Piccoli saggi)

Zero (a cura di), *Zer0039* (n° 331)

Zoetrope: All-Story. Il meglio della short story americana contemporanea (n° 261)

«Zorro»
di Margaret Mazzantini
Piccola Biblioteca Oscar
Arnoldo Mondadori Editore

Questo volume è stato stampato
presso Mondadori Printing S.p.A.
Stabilimento NSM – Cles (TN)
Stampato in Italia. Printed in Italy